les livres

la pelle

le jeu
de construction

le seau

la casserole

les rails

Doudou

maman

la poupée

le dinosaure

le poulet

les feutres

le vélo

Un personnage de Thierry Courtin
Couleurs : Françoise Ficheux

Loi n° 49-956 du 16 juillet 1949
sur les publications destinées à la jeunesse.
© Éditions Nathan, 2011.
© Éditions Nathan, 2012 pour la présente édition.
25 avenue Pierre de Coubertin
75013 Paris, France
ISBN : 978-2-09-253731-2
N° d'éditeur : 10180712
Dépôt légal : janvier 2012
Imprimé en Italie

T'choupi
et les jouets

Illustrations
de Thierry Courtin

joue avec ses petites  .

T'choupi   voitures

Maman entre dans sa chambre :

– Tu es prêt pour aller au square ?

– Mais c'est le bazar, ici !

s'écrie  .

maman

Avant de sortir, il va falloir ranger

tous tes  . Allez, tu ranges

jouets

par ici et moi de ce côté.

Le premier qui a fini a gagné !

T'choupi ronchonne :

– Oh non, pas mon  !

puzzle

Je ne l'ai pas encore terminé.

– D'accord, mais ramasse au moins

tes  et ton  !

cubes   jeu de construction

Maman commence à mettre

les figurines dans le coffre.

T'choupi l'aide :

– Voilà un chevalier et un dinosaure .

– N'oublie pas la princesse !

T'choupi prend son petit .

train

– Tchou-tchou ! Je fais juste

un dernier tour sur les

rails

et je le mets dans sa boîte.

– Regarde, maman, je t'attaque !

– Au secours ! Allez petit pirate,

donne-moi ton  et ton .

chapeau   épée

Je vais les mettre dans l'armoire.

En regardant sous le lit, T'choupi

retrouve une et un .

poupée   lapin en peluche

Doudou

- Oh, mais il y a aussi !

- Tu vois T'choupi, ranger, ça sert

à retrouver ses jouets préférés.

T'choupi est tout fier.

– Maman, j'ai posé les
livres

dans la bibliothèque tout seul.

Et hop ! les et les
feutres   crayons de couleur

vont dans ce petit pot.

La chambre de T'choupi est presque

en ordre. Il ne reste que la dînette

à ranger.

– Regarde, maman, j'ai mis le
poulet

dans le four et les
pommes

dans la !

casserole

– Bravo, T'choupi ! Tu as fini

en premier : c'est toi qui as gagné.

On peut sortir maintenant...

– Oui, j'emporte mon ,

seau

ma et mon .

pelle   râteau

– Moi, je vais au square à  !

vélo

– D'accord T'choupi, et moi je prends

ton  .

ballon

– C'est parti !

**Retrouve sur ce dessin
tout ce que T'choupi a vu...**

une petite voiture
un puzzle
des cubes
un jeu de construction
un dinosaure
un petit train, des rails
une épée, un chapeau
une princesse
un lapin en peluche
Doudou
des livres
des feutres
des crayons de couleur
un poulet, des pommes
une casserole
un chevalier
un ballon
un seau, une pelle, un râteau

Et dans la même collection ...

 créez et partagez la liste rêvée de votre enfant sur **mabiblionathan.com**